JEAN-PHILIPPE TOUSSAINT

L'instant précis où Monet entre dans l'atelier

LES ÉDITIONS DE MINUIT

www.leseditionsdeminuit.fr

ISBN : 978-2-7073-4783-1

DU MÊME AUTEUR

☆*m*

LA SALLE DE BAIN, *roman*, 1985 (« double », nº 32)
MONSIEUR, *roman*, 1986
L'APPAREIL-PHOTO, *roman*, 1989 (« double », nº 45)
LA RÉTICENCE, *roman*, 1991
LA TÉLÉVISION, *roman*, 1997 (« double », nº 19)
AUTOPORTRAIT (À L'ÉTRANGER), 2000 (« double », nº 78)
LA MÉLANCOLIE DE ZIDANE, 2006
L'URGENCE ET LA PATIENCE, 2012 (« double », nº 104)
FOOTBALL, 2015
MADE IN CHINA, 2017
LA CLÉ USB, *roman*, 2019
LES ÉMOTIONS, *roman*, 2020
LA DISPARITION DU PAYSAGE, 2021

MARIE MADELEINE MARGUERITE DE MONTALTE

I. FAIRE L'AMOUR, *hiver*; 2002 (« double », nº 61)
II. FUIR, *été*; 2005 (« double », nº 62)
III. LA VÉRITÉ SUR MARIE, *printemps-été*; 2009 (« double », nº 92)
IV. NUE, *automne-hiver*; 2013 (« double », nº 107)

M.M.M.M., 2017

Aux Éditions Le Passage

LA MAIN ET LE REGARD, 2012, à l'occasion de l'exposition LIVRE/LOUVRE au musée du Louvre

L’instant précis où Monet entre dans l’atelier

Je suis si pris par mon satané travail qu'aussitôt levé, je file dans mon grand atelier.

MONET

REMERCIEMENT

C'est mon ami Ange Leccia
qui m'a donné l'envie d'écrire sur Monet.

L'œuvre (D')Après Monet *d'Ange Leccia*
est présentée au musée de l'Orangerie
du 2 mars au 5 septembre 2022.

CET OUVRAGE A ÉTÉ ACHEVÉ D'IMPRIMER LE VINGT-SIX SEPTEMBRE DEUX MILLE VINGT-DEUX DANS LES ATELIERS DE NORMANDIE ROTO IMPRESSION S.A.S À LONRAI (61250) (FRANCE)
N° D'ÉDITEUR : 7051
N° D'IMPRIMEUR : 2204975

Dépôt légal : octobre 2022

Je veux saisir Monet là, à cet instant précis où il pousse la porte de l'atelier dans le jour naissant encore gris. C'est le moment du jour que je préfère, c'est l'heure bénie où l'œuvre nous attend. L'aube est fraîche, l'air vif picote les joues. Il est un peu plus de six heures et demie du matin, pas un bruit au loin dans la maison endormie qu'on vient de quitter, quelques pépiements d'oiseaux dans le jardin où les arbres sont immobiles comme le silence. C'est un de ces matins du monde comme il y en a tous les jours en Normandie dans les villages que bordent l'Eure et la Seine. Nous sommes à l'été 1916. Depuis quelques mois, Monet a pris possession du grand atelier qu'il s'est fait construire en haut de son jardin pour pouvoir travailler sur les vastes formats des panneaux des *Nymphéas*.

Je veux saisir Monet là, à cet instant précis où il entre dans l'atelier, où il passe la frontière entre la vie, qu'il laisse derrière lui, et l'art, qu'il va rejoindre. Derrière lui, derrière son corps massif qui s'apprête à pénétrer dans l'atelier des *Nymphéas*, c'est la vie qu'il laisse dans son sillage, la vie et ses misères, du corps, de l'âme, la vie qui, depuis quelques mois, a pris le visage terrible de la guerre. C'est la Première Guerre mondiale qui gronde aux portes de Giverny, mais qu'importe le conflit, cela aurait pu être la Seconde Guerre mondiale, cela aurait pu être la guerre d'Algérie ou la guerre du Golfe. Que sont les événements du monde pour l'artiste quand il crée ? Un tourment lointain et invisible. Une rumeur angoissante, entêtante, importune. Pendant la guerre, plus que jamais, c'est dans l'art que Monet va se réfugier pour se tenir à l'écart du boucan du monde. L'atelier des *Nymphéas* sera le havre de paix qu'il élira pour ne plus penser aux tristesses de l'heure. Mais comment ne pas éprouver de la honte de penser à de petites recherches de formes et de couleurs pendant que tant de gens souffrent et meurent sur le champ de bataille ? Car ce sont exclusivement des questions picturales qui occupent l'esprit de

Monet pendant les années de guerre, minuscules, complexes, torturantes, impénétrables au commun des mortels, mais essentielles, vitales pour l'artiste qu'il est. Tous les matins, lorsqu'il entre dans l'atelier, Monet prend congé du monde. Il passe le seuil, et, devant lui, de l'autre côté de la porte, encore invisible, immatériel, c'est l'art qui l'attend.

Je veux saisir Monet là, à cet instant précis où il entre dans l'atelier. Le bâtiment est encore dans la pénombre. Il y règne une odeur de plâtre, de colle humide, de tabac froid et d'huile de lin. La lumière, zénithale, descend du ciel et traverse l'immense verrière. Dans la brume grise et matineuse du grand atelier silencieux, un canapé trône dans le demi-jour, volumineux, sur lequel sont jetés une robe de chambre, un chapeau, une vaste cape noire informe. Dans quelques jarres, en bouquet, des éclosions de pinceaux. D'autres brosses, plus petites, éparpillées dans des pots. Des dizaines de toiles sont posées à terre, en cercle, les unes à côté des autres. Ce sont des études réalisées d'après nature dans les mois précédents. Certaines sont très récentes, elles ne sont pas encore retranscrites sur les grands panneaux monumentaux sur lesquels il travaille. L'atelier est un chantier, il y a des esquisses et des ébauches partout, par terre, posées le long des murs, en appui contre le canapé. Monet est le seul à s'y retrouver dans cet intense désordre, dans cet enchevêtrement de toiles et de peintures. La plupart des panneaux sont inachevés. Monet les reprend régulièrement, parfois longtemps après les avoir entrepris. Pour atteindre la partie supérieure des toiles, Monet utilise une plateforme, une sorte de table basse assez large sur laquelle il se hisse. Il passe des heures là, sa palette à la main, sur son échafaudage de fortune. Monet travaille dans l'incertitude. Il ne sait pas que ce qu'il peint prendra plus tard le nom légendaire de *Nymphéas*. Il ignore, sur le moment, que le monde entier vénérera l'œuvre qu'il a sous les yeux. Il n'y a aucun moyen, pour l'artiste, de savoir, au jour le jour, face à l'obstacle, face aux difficultés de l'heure, concrètes, de la main et de la brosse, ce que deviendra dans les siècles l'œuvre sur laquelle on bute, sur laquelle on achoppe, et qu'on retouche, qu'on amende sans fin, en poursuivant, de repentir en repentir, la quête infinie d'une perfection qui ne peut être qu'illusoire. Non, Monet ne sait rien encore du grand destin aveugle qui attend les *Nymphéas*.

Je veux saisir Monet là, à cet instant précis où il entre dans l'atelier et découvre les panneaux inachevés auxquels il travaille depuis des mois disposés contre les murs dans la pénombre. Cela peut être n'importe quel jour de 1916 ou de 1917. Ce sont des brumes, des buées, des ondes transparentes. Partout des bleus, des bleus mêlés de rose, des bleus mauves et des bleus plus profonds, des bleus de cobalt, des bleus nocturnes, et ici et là, un bref feu d'or qui contraste, un incendie de jaune. Les panneaux s'accumulent, s'entassent contre les murs, toujours de deux mètres de hauteur et de largeur variable. Depuis des mois, Monet ne quitte plus son royaume. Il ne bouge plus de l'atelier, il ne reçoit plus de visiteurs à Giverny. Il ne fréquente plus les collectionneurs et les marchands, il n'a plus aucun commerce avec ses contemporains. La solitude, chez Monet, n'est pas un retrait ombrageux, c'est une condition de son art. L'âge aidant, l'impétuosité s'apaise, et c'est avec beaucoup d'égards que Monet tend maintenant le regard sur le monde qui l'entoure. Lorsque, le soir, il se promène dans les allées tranquilles de son jardin d'eau à la lumière déclinante, il éprouve devant la nature un inattendu *apaisement du monde*. Il tire sur sa pipe et observe à distance un frémissement dans les herbes du rivage, un souffle dans les branches, une fugitive vibration de lumière à la surface de l'étang — et c'est là son œuvre qu'il contemple. Car ce qu'il dépose, jour après jour, sur la toile, ce n'est pas tant des couleurs mouillées d'huile dans leur matérialité moelleuse, c'est la vie même, dans ses infimes variations, métamorphosée en peinture. Ce que Proust avait fait avec des mots, en transformant ses sensations et son observation du monde en un corpus immatériel de caractères d'imprimerie, Monet le fera avec des couleurs et des pinceaux. Ce qui est à l'œuvre, dans cette opération de transsubstantiation qui occupera les dernières années de sa vie, c'est la conversion de la substance éphémère et palpitante de la vie en une matière purement picturale.

Je veux saisir Monet là, à cet instant précis où il entre dans l'atelier. Devant lui, le long des murs, ce ne sont que paysages d'eau et de lumière, fragments de branches inclinées de saules pleureurs, reflets bleutés, ciels, transparences. Longtemps, Monet n'a eu aucune idée de ce qu'il allait faire de ces grands panneaux décoratifs auxquels il travaille depuis des années. C'est la fin de la guerre, et l'intense soulagement qu'elle lui procure, qui lui fera trouver leur destination finale. Le lendemain de l'armistice, le 12 novembre 1918, Monet pose ses pinceaux et prend la plume. Il écrit à Clemenceau, le vainqueur de l'heure, l'ami de toujours. Cher et grand ami, je suis à la veille de terminer deux panneaux décoratifs, que je veux signer du jour de la victoire, et viens vous demander de les offrir à l'État par votre intermédiaire. Dans cette lettre célèbre, Monet ne parle encore que de deux panneaux. Clemenceau le convainc de donner l'ensemble à l'État. Monet y consent et les *Nymphéas*, encore dans les limbes, toujours inachevés, sont déjà consacrés comme une œuvre de paix. De ce jour, étalée sur dix ans, ce sera l'œuvre ultime, la dernière confrontation entre Monet et la peinture.

Je veux saisir Monet là, à cet instant précis où il entre dans l'atelier.

Nous sommes en 1918, bientôt nous serons en 1921. Monet, un instant, est figé là à la porte de l'atelier, entre la vie et l'art, il est à la fois arrêté dans l'image et en mouvement dans le temps. Depuis des mois, depuis des années, Monet met toute son énergie, non pas à terminer les *Nymphéas*, mais à poursuivre leur *inachèvement*, à le polir, à le parfaire. Même s'il n'en a pas conscience, c'est bien à l'*inachèvement* des *Nymphéas* que Monet consacre les dernières années de sa vie. Ce sera l'éternelle toile de Pénélope qu'il tissera et détissera jusqu'à son dernier souffle. Car finir les *Nymphéas*, c'est accepter la mort, c'est consentir à disparaître. Tel est le statut unique des *Nymphéas* dans l'histoire de la peinture, une œuvre à la fois achevée, et même plus qu'achevée, achevée jusqu'à l'os, avec assiduité, avec ténacité, avec acharnement, sans cesse retouchée, modifiée, corrigée, et pourtant une œuvre toujours *vivante*, toujours en progrès, toujours en cours de réalisation, que Monet ne lâchera jamais et poursuivra jusqu'à son dernier souffle. Jamais il ne consentira à déclarer l'œuvre « achevée », jamais, de son vivant, il ne laissera les grands panneaux quitter l'atelier pour rejoindre l'Orangerie.

Je veux saisir Monet là, à cet instant précis où il entre dans l'atelier. Les *Nymphéas* sont encore loin d'être terminés que Monet réfléchit déjà à l'écrin qui pourra les accueillir. Il est toujours en train de peindre qu'il se promène déjà mentalement dans les salles encore vierges de l'Orangerie et imagine un environnement total de peinture, onde sans horizon et sans rivage, reflets aquatiques du ciel et des nuages. Monet a encore les pinceaux à la main qu'il répartit déjà ses panneaux sur les cimaises de l'Orangerie. Ici les quatre panneaux des *Deux Saules* et en face *Reflets d'arbres*. Ou plutôt là, *Les Deux Saules*, avec, de chaque côté, un panneau de six mètres. Parfois, il croit être arrivé à une combinaison de placement heureuse. Mais il doute encore. Il veut voir. Alors, il fait construire des chariots à roulettes, afin de pouvoir déplacer matériellement les panneaux dans l'atelier. Il veut se rendre compte, dans le réel, de ce que donnent les différents agencements qu'il imagine. Il fait faire des essais grandeur nature, et on se met à déplacer les chariots sous ses yeux, on les fait permuter, on essaie d'autres combinaisons. Clemenceau, un jour, s'annonce à Giverny. Monet a fait disposer les grands panneaux en cercle le long des murs selon l'ultime disposition qu'il a imaginée. Les deux hommes débattent côte à côte devant les toiles, debout dans l'atelier tels qu'ils apparaissent sur les photos d'époque, gabardine, chapeau, canne, moustache tombante pour Clemenceau. Monet hésite encore, il tergiverse. Il procrastine, il atermoie. Il prend du recul, veut essayer autre chose. Il ordonne une autre disposition, puis une autre encore, et c'est un ballet incessant de sinuosités et d'arabesques pour composer de nouveaux agencements dans l'atelier.

Les chariots se croisent, coulissent, s'intercalent, et l'eau, le ciel, les arbres et les nuages prennent vie et se mettent en mouvement sous les yeux des deux hommes comme d'immenses décors de théâtre qui se succèdent sur scène.

Je veux saisir Monet là, à cet instant précis où il entre dans l'atelier. D'année en année, le pas est plus lourd. Mais les rituels ne changent pas. Dans l'atelier silencieux, il dépose sur une table basse la tasse de café qu'il a emportée avec lui de la maison endormie et jette un regard sur les grands panneaux qui l'attendent. Avant de se mettre à peindre, il nettoie ses lunettes, avec soin, il frotte chaque verre méticuleusement dans une lingette. Il remet en place un flacon sur un établi, il réajuste machinalement ses pinceaux, réaligne ses brosses. Je connais ces rituels, ce sont les petits rituels du matin qui précèdent le moment de se mettre à l'œuvre. Même si Monet est encore en bonne santé, même si la carcasse est solide, que le souffle est bon, il y a ce moment, invisible, dans la vie, où l'on bascule irrémédiablement vers la vieillesse. Ce n'est pas un cap tranché que l'on franchit, où il y aurait un avant (l'âge mûr) et un après (la vieillesse), comme il y aurait une frontière nette entre la jeunesse et l'âge mûr, c'est un processus continu, insidieux, tel celui qui transforme notre visage d'adolescent en celui de vieux monsieur à barbe blanche — quoique Monet n'ait jamais eu de visage d'adolescent, ni même d'âge mûr, la postérité l'a figé à jamais dans sa silhouette de vieillard légendaire, en chapeau et barbe blanche, dans les jardins de Giverny. Mais le pas, au réveil, se fait plus incertain, il y a une douleur au genou et bientôt à la hanche quand on descend l'escalier, une ankylose de la jambe qui ralentit l'allure, et qui lui confère comme un léger boitement qu'il corrige aussitôt, qu'il essaie d'effacer. Monet traverse l'atelier d'un pas pesant. Il rejoint ses pinceaux et se met au travail. Peindre, c'est oublier ses tourments intérieurs, c'est tenir à l'écart le passage au néant dont il sent l'imminence. Car l'idée de la mort, maintenant, ne quitte plus son esprit et vient se superposer subrepticement à ses moindres pensées. Comme une loupe déformante, elle modifie la perception du monde. Elle hante tous les gestes de la vie quotidienne, des plus sacrés, lorsqu'il répartit les couleurs sur sa palette, aux plus insignifiants, quand, le matin, aux aurores, la toilette achevée, il enfile avec difficulté ses chaussures au bord du lit avant de rejoindre l'atelier. Mais, si Monet peut accepter l'idée de la mort, comme le terme naturel de toute existence humaine, le drame qui le révolte, qui l'indigne et le met au désespoir, c'est sa vue qui se dégrade. Le brouillard commence à envahir son champ de vision. La perception des bleus s'altère, les rouges deviennent boueux. Les formes défaillent, les couleurs faillissent. Quelques mois plus tôt, croyant devenir aveugle, voyant le monde disparaître dans une brume brunâtre, Monet, brisé, arrêté dans son élan, doit cesser de peindre. Il demeure de longues heures assis dans un fauteuil au rez-de-chaussée de la maison de Giverny, désœuvré, et l'idée de la mort resurgit dans son esprit, qui accompagne chaque heure de l'inaction forcée. Le jour baisse au dehors, et l'ombre de la mort, indiscernable, gagne du terrain dans la pièce et vient enrober de son châle invisible les épaules voûtées de Monet. Les derniers examens ophtalmologiques sont désastreux. Vision quasi nulle à droite et 1/10 à gauche. Monet doit se résoudre à accepter une intervention chirurgicale. L'opération a lieu dans les premiers jours de 1923. Elle se passe mal. Monet est anxieux, il ne se laisse pas faire, il se débat sur la table d'opération. Il se lève, il veut quitter les lieux et rejoindre l'atelier. En sortant de la clinique, Monet se sent prisonnier des ténèbres, emmuré derrière le gros pansement qui l'aveugle. Il manque d'air, il ne supporte pas la compresse qui lui recouvre l'œil, il l'arrache.

Je veux saisir Monet là, à cet instant précis où, encore convalescent, les jambes faibles, la poitrine fragile, il pousse prudemment la porte de l'atelier. Les lieux sont dans la pénombre, abandonnés depuis des mois. Monet a hâte de se remettre au travail après la longue interruption due à l'opération de la cataracte. Il a assez perdu de temps, il est pressé, il a bien l'intention de donner les *Nymphéas* à l'État à la date convenue. Monet reprend ses pinceaux. Il pose délicatement une touche sur la toile, il nuance, il accentue. Il n'est pas satisfait, il efface, il insiste, il recommence. Et là, dans l'atelier, face à la peinture qui lui résiste, face à la peinture qui se défend, face à la peinture qui se refuse, Monet s'obstine, il reprend, il retouche. Monet ne lâche plus la brosse. Il pénètre toujours plus avant dans la peinture, il s'y fond, il s'y dilue. Il n'y a plus trace de son corps terrestre dans l'atelier, son esprit s'est dissous dans la peinture. Monet est devenu peinture. Il est devenu paysage d'eau, fluidité, onde, souffle. Les heures passent, immobiles, dans l'atelier, elles passent dans le temps à jamais suspendu des *Nymphéas*. Monet peut fermer les yeux et lâcher prise — peindre les *Nymphéas* aura été pour lui la plus apaisante des extrêmes-onctions.